An Bin

M. Gauvillé

Editions Maison des Langues, Paris

COLLECTION PLANÈTE ADOS

Auteur : Marie Gauvillé
Coordination éditoriale : Lourdes Muñiz
Révision pédagogique : Philippe Liria
Conception de couverture : Enric Jardí
Illustration de couverture : Fernando Vicente
Conception graphique et mise en page : Luis Luján, Laurianne López
Illustrations : Laurianne López
Activités : Gwendoline Le Ray
Enregistrements : Jean-Paul Sigé

ISBN édition internationale : 978-84-15640-03-5
ISBN édition espagnole : 978-84-683-1047-3

Dépôt légal : B-9450-2013
Imprimé dans l'UE

www.emdl.fr

An Binh se rebelle

An Binh, fille d'immigrés vietnamiens, est une adolescente obéissante et sage. Elle habite dans le quartier chinois de Paris et participe aux évènements de sa communauté (fêtes traditionnelles, préparation de nems...). Mais An Binh aimerait être comme les autres enfants de sa classe. Ses parents pourront-ils la comprendre ?

Sommaire

Avant lecture

1. La couverture

- Regardez l'image de la couverture et décrivez la jeune fille en deux lignes.

____

____

- D'après vous, que âge a-t-elle ? ____________________

- Qui peuvent être les autres personnages ?

____

2. Le titre

a) À votre avis quelle est l'origine du prénom An Binh ?

celte | asiatique | africaine | amérindienne

b) D'après vous que veut dire le titre ? Faites des hypothèses sur l'histoire.

____

____

3. Le livre

- À l'aide d'Internet ou d'une encyclopédie, complétez ce tableau d'informations sur le Viêtnam.

Capitale :	
Principales villes :	
Nombre d'habitants :	
Langue(s) :	
Pays limitrophes :	
Mer / Océan :	

1. Moi

Au collège on m'appelle Julie. J'ai 14 ans. Je suis née à Paris, dans le 13ème arrondissement[1]. Je suis Française.
J'aime la musique, j'aime lire, surtout les romans policiers, et j'aime aussi les cours d'allemand et d'histoire-géo. Je n'aime pas : les maths, manger à la cantine, porter des robes. 5

J'ai une tête, deux mains[2], deux pieds et dix doigts[3]. J'ai aussi deux oreilles, un nez et une bouche[4]. Je suis une fille comme les autres.
Je me trouve plutôt banale. Je suis pas grande, pas petite, pas
5 grosse et pas mince, pas jolie, mais pas moche[5] non plus.
Par contre, quand je regarde dans un miroir[6], je vois que je ne suis pas vraiment banale. Et pas très française, non plus. Parce qu'au-dessus de ma bouche et de mon nez un peu trop grand, les deux yeux qui me regardent sont noirs... et bridés[7].
10 Mon vrai prénom, c'est An Binh, et je suis une fille d'immigrés[8]. Ça veut dire que mes parents, eux, ne sont pas Français. Je m'appelle An Binh Nguyen, et mes parents sont des immigrés vietnamiens.

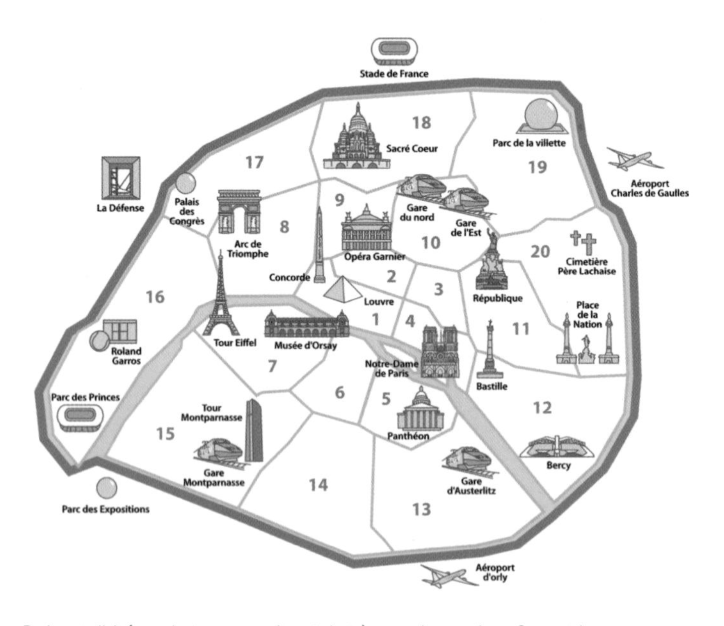

Paris est divisé en vingt zones, qui sont de très grands quartiers. Ce sont les arrondissements. Chaque arrondissement correspond à un numéro entre 1 et 20.

2. Mes parents

Mes parents sont des *boat-people*. C'est comme ça qu'on appelait les Vietnamiens qui sont arrivés en France au 20ème siècle. Ils sont venus ici parce que, dans leur pays, le Vietnam, il y a eu la guerre[9] entre le Nord et le Sud pendant très longtemps. Et après la guerre, à partir de 1975, les Vietnamiens du Nord en voulaient aux[10]* Vietnamiens du Sud, et les Vietnamiens du Sud avaient peur des Vietnamiens du Nord. 5

On appelle « *boat people* » les millions de Vietnamiens qui sont arrivés en Europe entre 1975 et 1992 à bord de ces bateaux précaires pour échapper au régime politique.

Beaucoup de gens ont préféré quitter leur pays. Mais ils étaient pauvres, très pauvres. Je veux dire, quand on quitte son pays parce qu'on a peur, ou qu'on est pauvre, ce n'est pas comme pour partir en vacances. On ne prend pas le train ou l'avion, c'est beaucoup plus compliqué[11]. Par exemple, les Vietnamiens du Sud sont montés sur des bateaux, souvent des bateaux très petits et pas très sûrs. Leur voyage a été long et dangereux, et beaucoup sont morts[12] sur l'océan. 10 15 20 25

* En vouloir à quelqu'un : avoir de la rancœur.

Mes parents, eux, ont eu de la chance. Ils ont pu venir jusqu'en France, où ils vivent depuis 1977. Ils étaient très jeunes, mon père avait 16 ans et ma mère, 14. Comme moi maintenant. Les parents de ma mère sont morts tous les deux pendant le voyage, et les parents de mon père ont rencontré ma mère sur le bateau. Elle était seule, alors ils l'ont « adoptée ». Plus tard, mes parents ne se sont pas mariés[13] parce qu'ils étaient amoureux, ils se sont mariés parce que c'était plus pratique.

Comment est-ce que je peux décrire mes parents ? Bon, déjà, ils sont vieux. Mon père a 50 ans, et ma mère, 48. Quand on lit ça, ça ne fait pas beaucoup. Mais quand on les voit tous les deux, on croit qu'ils ont au moins mille ans. Ma mère dit toujours que c'est le malheur[14] qui les a fait vieillir[15]. Le malheur de la guerre au Vietnam, le malheur de quitter leur pays, le malheur du voyage en bateau, de voir mourir des gens sur l'océan, et aussi, le malheur d'être un étranger dans le pays où on habite. C'est vrai que ça fait beaucoup de malheur pour une seule vie.

Un jour, en sixième*, on a dû faire un portrait de nos parents. Un peu comme je le fais maintenant, mais il fallait aussi parler de leurs plats préférés, de leurs films, de leurs livres et de leurs vacances préférés...

Moi, j'ai juste dessiné deux silhouettes, et j'ai eu une heure de colle parce que je n'ai rien mis dedans[16] ou autour. Mais c'est comme ça : la vie de mes parents, c'est le travail et les enfants, et c'est tout. Ils n'ont pas de hobbys, pas d'amis, rien. Si : quelquefois, ils discutent un peu avec les voisins. Alors oui, mes parents à moi, c'est vraiment ça : deux silhouettes avec rien autour[17], et beaucoup de malheur dedans. Et le malheur, c'est difficile à dessiner.

* **Sixième** : première classe du collège.

3. Mes frères

J'ai deux frères. Ils sont tous les deux plus grands et plus âgés[18] que moi. Vuong a 28 ans. Il n'a pas de prénom français, il n'en veut pas. Il est marié, et habite avec sa femme Kim Liên et leur petit garçon, Vinh, dans le même quartier que nous. Il travaille avec notre père dans notre épicerie[19] asiatique. C'est un homme calme et gentil. Sa femme aussi est vietnamienne, et elle aussi est calme et gentille. Mon frère et sa femme sont un peu comme mes parents. Pour eux aussi, le travail et la famille sont les choses les plus importantes, et ils respectent mes parents parce qu'ils sont plus vieux. Ma mère me dit toujours que Kim Liên est un bon exemple pour moi. Pas comme mon deuxième frère !

Luong préfère qu'on l'appelle Max. Il a 24 ans, et il est fou ! Quand ils étaient petits, mes parents parlaient de mes frères comme du yin et du yang. Mais c'est faux. Vuong est le bien, Luong le mal ! Vuong, c'est un peu le dieu de mes parents, Max, leur diable[20] ! Il ne veut pas travailler à l'épicerie, il veut devenir musicien ! Il joue dans un groupe avec des copains, et habite avec eux à Montmartre. Pour gagner de l'argent, il travaille comme livreur en moto, le jour, et le soir, lui et son groupe jouent dans des bars.

Le yin et le yang : dans la philosophie chinoise le yin et le yang symbolisent la complémentarité.

Je ne le vois pas très souvent, parce que lui et le reste de ma famille ne s'aiment pas beaucoup, je crois. Quand il vient manger à la maison, il se dispute presque toujours avec notre frère et notre père, et après, ma mère claque[21] les portes pendant des
5 heures, et Kim Liên regarde ses pieds sans respirer[22].

4. Mes amis

Je n'ai pas beaucoup d'amis au collège. Je ne crois pas que c'est parce que je suis la seule fille « d'origine vietnamienne » de ma classe. Je crois que c'est surtout parce que je suis très timide.
Par contre, j'ai des amis à l'Association d'Amitié[23] Franco-Vietnamienne[24] de mon quartier. Enfin, j'ai des amiEs, parce que je vois surtout des filles. Il y a aussi des garçons, bien sûr. Mais je suis vraiment très très timide.
Dans l'association, nous apprenons beaucoup de choses sur la culture vietnamienne. C'est important, car nous sommes tous nés en France et avec l'association, nous découvrons la culture de nos parents. Enfin, c'est aussi notre culture, bien sûr. Nous apprenons la musique et les danses traditionnelles[25], et surtout, nous préparons la grande fête du nouvel an chinois, la fête du Têt.

Le nouvel an chinois à Paris. Le calendrier chinois est un calendrier lunaire.
Le nouvel an a toujours lieu entre le 21 janvier et le 20 février.

Et nous avons aussi des cours d'histoire du Vietnam. Comme toutes mes amies, je parle très bien le vietnamien parce que nous le parlons toujours à la maison avec nos parents.

Mes amies et moi, nous nous voyons chaque mercredi, et
5 quelquefois le samedi, quand il y a des soirées vietnamiennes, environ[26] une fois par mois. Là, tout le monde vient avec sa famille, on mange, on danse des danses folkloriques, etnos parents discutent un peu. Même les miens viennent, c'est la seule fois où ils sortent le soir.
10 Comme mes amies ont la même vie que moi, on n'a pas beaucoup de choses à se raconter. Parfois, j'aimerais avoir des copines qui ne sont pas à l'association, pour changer. Même si elles ne sont pas Vietnamiennes ! Mais ce n'est pas facile.
Max dit toujours que, plus ça va, plus la France devient un pays
15 communautaire[27], comme les États-Unis. Il dit que de plus en plus, les Noirs restent avec les Noirs, les Musulmans[28] avec les Musulmans, les Blancs avec les Blancs, et les Asiatiques avec les Asiatiques. Max dit que c'est à cause de la politique et de la crise, que nous nous méfions[29] toujours plus des gens qui sont
20 différents. Et il dit que c'est nul, parce que nous vivons tous sur la même planète, et qu'on devrait tout partager[30], et pas tout séparer[31]. Surtout si on sépare à cause de la religion ou de la couleur de la peau[32].
Le « communautaire » et la « politique » sont deux sujets
25 explosifs chez nous. Quand Max me dit : Sors un peu avec des jeunes d'autres cultures, Julie !

Mon père s'énerve :
– Occupe-toi de tes affaires, jeune idiot ! Ta sœur a raison de respecter son pays et ses traditions !
– Mais son pays, c'est la France !
– Ses racines[33], c'est le Vietnam, et elle ne doit jamais l'oublier ! Elle et ton frère sont de bons enfants, qui obéissent[34] à leurs parents ! Pas comme toi, qui joue de la musique de sauvages[35] avec ces Noirs et ces Arabes !

Et c'est là qu'à chaque fois, Max et notre père crient, que Vuong devient rouge, que ma mère claque les portes, et que Kim Liên commence à regarder ses pieds. Moi, je débarrasse la table[36]. C'est comme ça à chaque fois que Max-Luong vient manger à la maison. Pas très souvent, heureusement.

Je ne sais pas qui a raison. Bien sûr, je suis née en France, je vis en France, et je vais au collège en France. Je suis aussi Française. Mais mes parents sont Vietnamiens, à la maison, on mange vietnamien, on parle vietnamien, on travaille vietnamien. Et on vit dans le 13ème, le plus grand quartier asiatique de France.

En plus, il faut défendre[37] notre culture et tous les Asiatiques de France. Par exemple, un jour, au

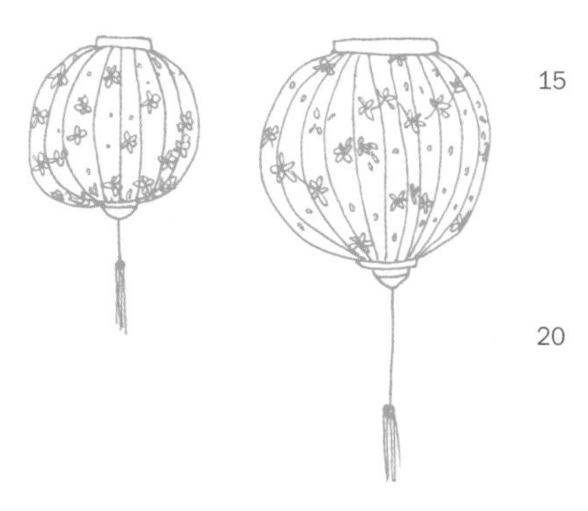

Comme beaucoup de grandes villes, Paris possède un quartier chinois où vivent principalement des populations d'origines chinoise, vietnamienne, cambodgienne ou laotienne.

collège, on a vu un film sur l'équipe de France de foot qui a gagné le Championnat[38] du Monde en 1998. Cette équipe, les Français l'ont appelée la « black blanc beur »* et tout le monde était très fier[39] parce qu'elle était comme la France, avec des Noirs, des Blancs, et des Maghrébins[40]. Par contre, il n'y avait pas d'Asiatiques ! Pas un seul ! Alors que nous sommes presque un demi million en France ! Ils, je veux dire les fans de foot, nous avaient oubliés !

– C'est parce que nous sommes des gens discrets[41], a dit mon père quand j'en ai parlé à la maison.

– C'est plutôt parce qu'on est nuls au foot ! a rigolé Max.

Bien sûr, Vuong a dit que pas du tout, les Asiatiques ne sont pas nuls au foot, mon père a dit que le nul, c'est Max-Luong, et aussi la honte du Vietnam et de toute sa famille, ma mère a claqué une porte, les pieds de Kim Liên sont sortis de dessous[42] la table, etc etc. Comme toujours.

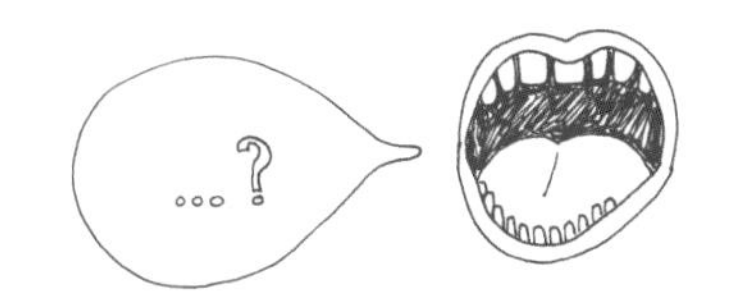

En même temps, cette histoire de communautaire, ce n'est pas faux. Avant, à l'école primaire, on jouait tous les uns avec les autres. Mais au collège, tout a changé. Surtout depuis deux ans. Maintenant, les Noirs sont souvent entre eux, les Maghrébins aussi, les Blancs restent avec les Blancs... Il y a aussi une dizaine[43] d'Asiatiques au collège, mais ils sont tous plus vieux que moi et ne me parlent pas. En plus, ils sont presque tous Chinois et certains[44] n'aiment pas les Vietnamiens et préfèrent rester entre Chinois. Alors je suis souvent seule, au collège. Je suis seule, mais je suis une bonne fille pour mes parents. C'est comme ça...

* **« black, blanc, beur »** : l'équipe de France de 1998, championne du monde puis d'Europe s'était caractérisée par sa composition : il y avait des joueurs de différentes origines (Europe, Antilles, Maghreb ou Afrique sud-saharienne).

5. Mes vies

Mes parents ne sont pas très logiques.
Pour eux, je dois d'abord être une bonne Vietnamienne. Mais je dois aussi être meilleure que la meilleure des Françaises. Alors souvent, ma vie, c'est comme un grand écart[45]. Un grand écart entre deux cultures. J'ai deux vies : une vie à la maison et dans mon quartier, et une vie au collège. 5

Au collège, je suis Julie, une ado[46] française (presque) comme les autres. Je vais en cours tous les jours, sauf le samedi et le mercredi après-midi. Je mange à la cantine, parce que c'est plus pratique. 10

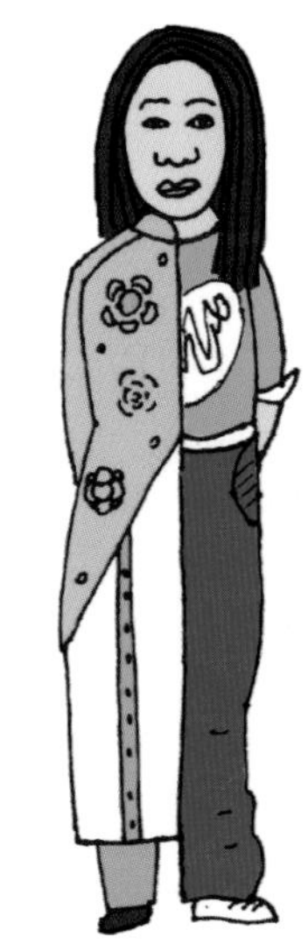

J'ai mes matières préférées, des profs que je n'aime pas, et pendant la récré[47], je me promène dans la cour ou je vais au CDI[48]. Je suis une bonne élève. Je suis obligée[49] d'être une bonne élève. Parce que, depuis que je suis 15 petite, mes parents me disent :

– Tu dois travailler plus que les autres, An Binh ! Tu dois être meilleure que les Français, etpersonne ne te respectera !

C'est peut-être parce que nos parents ne 20 parlent pas très bien français, et que beaucoup ne savent pas lire et écrire cette langue. Mais pour presque tous les jeunes de l'association,

bien travailler à l'école est comme une loi divine[50]. On doit tous avoir de très bonnes notes, surtout en français. Et aux soirées vietnamiennes, les parents comparent[51] nos notes, et si les miennes sont plus mauvaises que celles de la fille des voisins, mon père me fait la tête pendant tout le week-end.
Je ne dois pas me faire remarquer[52]. Je veux dire, au collège, je m'habille[53] comme une ado française, je ne dois pas utiliser[54] mon prénom vietnamien, et je ne dois jamais, jamais parler vietnamien, même avec les autres Vietnamiens du collège.

– Nous devons être discrets, dit toujours mon père. Si les Français pensent que nous sommes trop différents, ils vont avoir peur de nous !

Alors deux fois par an, ma mère m'achète des vêtements français. Pour elle, ce n'est pas facile, parce qu'elle les trouve très moches, les vêtements français. Même ceux « made in China » ! Elle m'achète toujours les moins chers, et les moins « vulgaires ».
Ça, c'est ma vie numéro deux. Ma vie numéro un, c'est à la maison et dans mon quartier.

Nous vivons dans un quartier qu'on appelle le quartier chinois de Paris. C'est dans le 13ème arrondissement, métro Porte d'Ivry. Il y a d'autres quartiers chinois dans la capitale, comme Belleville, dans le 20ème, et un plus petit dans le 3ème arrondissement. Mais c'est dans le 13ème qu'il y a le plus d'Asiatiques.
On l'appelle quartier chinois, mais c'est un quartier asiatique. Les Européens ne voient pas la différence, mais dans mon

quartier, il y a des Vietnamiens et des Chinois, mais aussi des Cambodgiens, des Thaïlandais... Nous ne venons pas des mêmes pays, mais nous avons tous les yeux bridés. Alors pour des gens comme mes parents, c'est facile d'être discrets : ils restent avec des gens qui leur ressemblent[55], et hop ! Ni vu ni connu[56] ! Quand ils doivent sortir du quartier, c'est plus difficile. Deux Asiatiques avec tous ces Européens, ce n'est pas très discret. Alors pour ne pas se faire remarquer, mon père devient encore plus petit, et ma mère regarde le trottoir. Moi, je crois qu'ils veulent tellement[57] être discrets que tout le monde les remarque !

Une bonne Vietnamienne ne se fait pas remarquer, c'est comme ça. Mon père me le répète chaque jour. Mais pour moi, ce n'est vraiment pas facile.

Déjà, je suis la seule Asiatique de ma classe. Si j'étais, je ne sais pas moi, Anglaise, ou Italienne, ou Allemande, je pourrais être discrète. Mais être Asiatique, c'est avoir une tête d'Asiatique. Et ça, c'est très différent d'une tête européenne. Et pas très discret. Je ne sais pas trop pourquoi ils veulent être si discrets. Et pourquoi moi, je dois être comme invisible[58]. Je suis née en France, et j'ai le droit d'être comme tout le monde, non ? Mais je ne veux pas décevoir[59] mes parents. Alors je les respecte et je leur obéis. Je fais ce que je peux, même si ce n'est pas toujours facile.

Ici, je dois être An Binh, « celle qui aime la paix[60] ». Une bonne jeune fille vietnamienne. À la maison, je parle vietnamien, je porte la robe traditionnelle du Vietnam, et je mange vietnamien. J'obéis à mes parents. Toujours. Après les cours, je dois faire mes devoirs, aider mes parents à l'épicerie, rester avec mon neveu[61] quand sa maman travaille, et le mercredi : aller à l'association. Pour moi, pas de shopping, pas de sport, pas de ciné[62] le samedi. Parce que, un samedi par mois, il y a la soirée vietnamienne de l'association. Ça veut dire que toute la journée, on prépare la

soirée, on décore la salle, on fait des salades vietnamiennes... Le soir, je danse devant les familles avec les autres jeunes. Et c'est pareil pour toutes les filles vietnamiennes de l'association. Quand il n'y a pas de soirée, je dois rester à la maison le samedi.
5 Le dimanche, il y a un grand repas de famille. Ca veut dire que c'est comme toujours, mais qu'on mange plus parce qu'on a préparé beaucoup de plats. Moi, le samedi, je fais la cuisine toute la journée avec ma mère et Kim Liên. Je fais surtout les nems[63], et ma mère est très fière parce que mes nems sont
10 toujours très beaux.
En fait, c'est parce que je vais au collège que je sais que je suis en France. Parce que dans mon quartier, j'ai souvent l'impression de vivre au Vietnam. Enfin, j'imagine que le Vietnam, c'est un peu comme mon quartier, avec beaucoup
15 d'Asiatiques, beaucoup de maisons décorées, de magasins où on trouve des produits d'Asie... Pour mes parents, c'est peut-être bien, comme ça, mais en même temps, c'est comme s'ils n'étaient jamais montés sur un petit bateau. Comme s'ils n'avaient jamais risqué leur vie[64] pour s'enfuir[65]...

1. Lundi, 9 h, cours d'histoire-géo

Au collège, les Français ont 3 heures par semaine d'histoire-géographie et d'éducation civique.

– Bonjour les enfants ! Alors ? Vous allez bien ? Vous avez passé un bon week-end ?

Monsieur Dunol est notre prof depuis la 6ème. C'est pour ça qu'il nous appelle encore « les enfants » : il nous connaît depuis trois ans ! Comme nous savons qu'il nous aime bien, et comme nous l'aimons bien aussi, on ne dit rien quand il nous appelle comme ça !

– Bon, alors comme je vous l'ai dit à la rentrée*, cette année, nous allons travailler sur les guerres du 20ème siècle, et étudier aussi l'histoire des différentes vagues d'immigration[1] en France. Mais d'abord, qui sait quelles guerres il y a eu dans le monde au 20ème siècle ? Oui ? Pierre ?

– La Deuxième guerre mondiale[2], m'sieur !

– Oui, très bien. Et en quelle année est-ce que c'était ? Tu le sais, Pierre ?

– Euh, non m'sieur. Mais, euh… après la première en tous cas[3] !

– Bravo Pierre ! Belle déduction[4] ! Qui en connaît d'autres, des guerres ?

* **La rentrée :** le premier jour d'école après les vacances d'été.

– La guerre d'Algérie m'sieur !
– Oui, exact, la guerre d'Algérie. Qui connaît les dates, et la raison de cette guerre ?
– C'était dans les années 50, monsieur. Mon grand-père, il
5 y était, il était soldat ! Il m'a raconté que l'Algérie, c'était une colonie française, et que les Algériens, ils voulaient être libres. Mais les Français, eux, ils ne voulaient pas !
– Oui, c'est à peu près ça. On en parlera plus tard. Allez, encore une ! Qui... Oui ? Farid ?

En France les classes sont souvent multiculturelles, car composées d'enfants d'origines différentes.

10 – Le truc* là, avec la Russie[5] et les autres, les Chéchènes.
– Pas les Chéchènes, Farid, les Tchétchènes ! Mais c'est vrai, il y a eu des conflits en Russie. D'autres guerres ?
– Encore des guerres ? C'est pas assez, m'sieur ?
– Malheureusement, ce ne sont pas les seules guerres du 20ème
15 siècle. Cherchez encore !
– Ah oui ! Y'a eu la guerre du Vietnam, monsieur !

* **Un truc** : une chose.

– Exact. Et ?
– Ah oui ! La guerre des Balkans !
– Encore exact. Bon, il y en a eu d'autres, mais ça suffit pour l'instant. Cette année, nous allons essayer[6] de comprendre pourquoi il y a eu ces guerres, comment elles sont reliées[7] entre elles, et comment elles expliquent en partie les migrations. Pour cela nous… Oui, Manon ?
– Y'a eu aussi des guerres en Afrique, m'sieur ! C'est pour ça qu'il y a plein d'Africains à Paris !
– Mais non ! T'es nulle ! Les Africains, ils viennent ici parce que chez eux, ils sont pauvres !
– C'est toi le nul ! C'est…
– Stop, stop, calmez-vous[8], les enfants. D'abord, l'Afrique, ce n'est pas un pays, c'est un continent où il y a beaucoup de pays différents. Et vous avez raison tous les deux : dans certains pays, il y a la guerre, et dans d'autres, les gens sont surtout pauvres. Mais nous verrons tout ça cette année. Pour aujourd'hui, je veux vous donner les sujets. Vous allez travailler sur une guerre et ses différents aspects. Alors, qui veut faire quoi ? Julie, quand on a un nom vietnamien comme toi… J'imagine que tu veux travailler sur le Vietnam ?

Je crois que c'est là que tout a vraiment commencé.
Un lundi matin, en cours d'histoire-géo.

Je ne sais pas si vous me comprenez : je vis dans un quartier asiatique avec des centaines[9] de Vietnamiens, chez des parents vietnamiens qui ont une épicerie vietnamienne, dans un appartement décoré avec des objets vietnamiens et où on mange

de la cuisine vietnamienne pendant que nous parlons vietnamien, et le seul temps libre que j'ai, après l'école, les devoirs et le travail à l'épicerie, je le passe à l'association… vietnamienne. Et donc, le Vietnam, je connais. Je connais par cœur. Je connais tellement bien que, quand monsieur Dunol m'a dit : Julie, j'imagine que tu veux travailler sur le Vietnam ? j'ai cru que le Vietnam, j'allais le vomir[10] par terre ! Encore le Vietnam ! Toujours le Vietnam ! Partout le Vietnam ! Mais moi, si j'aime aller à l'école, c'est aussi pour faire autre chose que toujours du Vietnam ! J'aime le Vietnam (même si je n'y suis jamais allée) je respecte mes parents, les traditions de mes parents, les vœux[11] de mes parents, mais de temps en temps, j'aimerais avoir une petite pause et faire autre chose que du Vietnam, encore du Vietnam, toujours du Vietnam ! Alors pour la première fois de ma vie, j'ai fait quelque chose que je n'avais encore jamais fait avant : j'ai dit 'non' à un prof ! J'ai dit :

– Excusez-moi monsieur, mais je préfère travailler sur la guerre d'Algérie, je crois, avec une toute petite voix[12].

Manon, qui est assise[13] à côté de moi, m'a regardée avec des grands yeux. Normal : d'habitude[14], je parle seulement pour répondre aux questions… ou pour dire oui.

Monsieur Dunol aussi a eu l'air surpris[15].

– Ah bon ? Euh, bien, bien, d'accord, comme tu veux. Donc, je te note pour la guerre d'Algérie, ça marche*. Tu travailleras en groupe avec… Qui veut travailler sur l'Algérie ? Brahim ? D'accord. Ta famille vient d'Algérie, hein, Brahim ?

– Non m'sieur, du Maroc. Du coup[16], j'ai jamais trop bien compris ce truc de la guerre d'Algérie.

– Ah bon, très bien, alors c'est d'accord. Bon, ensuite…

* **Ça marche** : ça fonctionne.

2. Mercredi matin, cours de français

Monsieur Samouar est un jeune prof. Cette année, il a pris la place de madame Guarat qui va avoir un bébé[17]. Nous sommes sa première classe, je crois. Il est très jeune, ça, c'est sûr.
Dans la classe, personne ne l'aime.

Le sushi est un plat traditionnel japonais, il est très à la mode depuis quelques années.

La semaine dernière, par exemple, on a eu la première interro[18] avec lui. Et c'est là qu'il a fait la blague[19] la plus bête* du mois, non : la plus bête de l'année. Il m'a dit :
– Julie, vous aurez des bonnes notes seulement si vous travaillez bien ! Pas besoin de me faire des Sushis ! J'adore les Sushis, mais on ne peut pas m'acheter ! Ahaha !
J'ai dit :
– Ça tombe bien. Je déteste les Sushis.
– Ah... Euh... Ah bon ? Mais... c'est bizarre pour une Japonaise, non ?
Tout le monde me regardait, Farid et Simon rigolaient derrière leurs cahiers. Je ne sais pas pourquoi, mais soudain[20], j'ai eu de l'humour :

* Être bête : être stupide.

– Pour une Japonaise, c'est très bizarre, en effet[21]. Mais pour une Vietnamienne, c'est normal. Monsieur.
Monsieur Samouar est devenu tout rouge, et on a entendu des élèves qui essayaient de ne pas rigoler. Depuis, monsieur Samouar m'appelle toujours « mademoiselle Nguyen » et on entend qu'il met une majuscule[22] à mon nom. Peut-être pour ne pas oublier que tous les Asiatiques ne mangent pas du poisson cru[23].
Il y a aussi toutes les fois où les gens me regardent et me parlent bizarrement, dans la rue. Les fois où les gens m'évitent et changent de trottoir[24]. Les fois où j'entends : « Hé ! Regarde la jaune ! », ou encore : « Tiens ! Une fille citron ! ». Ou, comme une fois avec Max : « Sales Chinetoques[25] ! C'est vous qui nous prenez notre travail ! ».
Quand j'étais plus petite, ça n'arrivait jamais, je crois. Mais peut-être que, comme je deviens plus grande, on me voit mieux, on me remarque plus, à cause de ma taille. Et ça, je ne peux pas l'éviter. Je ne peux pas devenir invisible !
Et puis : pourquoi c'est moi qui doit être discrète ? Pourquoi c'est pas les idiots qui doivent avoir honte[26] ?

– Et encore, tu as de la chance !
Aujourd'hui, Max est venu me chercher au collège. Il fait ça, de temps en temps. Il vient au collège, et il marche un peu avec moi, jusqu'à la station de métro. Ou jusqu'à la rue où il y a l'épicerie de nos parents. Jamais plus loin. Je ne sais pas pourquoi il vient. Mais c'est mieux que quand il vient à la maison, parce qu'il ne peut pas se disputer[27] avec notre père ! Quand on marche, il me raconte un peu sa vie, une fois, il m'a

donné un CD de son groupe, et un jour, il m'a raccompagnée[28] à la maison en moto ! Je ne l'ai jamais dit à mes parents, bien sûr…
– Ah bon ? Et pourquoi j'ai de la chance ?
Je venais de lui raconter l'histoire de l'exposé, et aussi que, de plus en plus, j'ai l'impression[29] d'être une étrangère en France. Mais ça, c'est parce que les gens et aussi mes parents me donnent l'impression d'être une étrangère ! Moi, je suis Française !
– Tu as de la chance parce que tu es une fille ! Pour les garçons, c'est encore plus nul !
– Pffff… Tu parles[30] !
– Si ! Crois-moi ! Pour les garçons, c'est pire[31], surtout pour les Maghrébins et les Noirs ! Eux, on croit toujours que ce sont des voleurs et des paresseux[32] !
– Ah bon ? Même tes copains ?
– Bien sûr ! Quand on est ensemble dans la rue, souvent, ce sont eux qu'on insulte[33]. Moi, on ne me voit pas !
– C'est parce que nous, les Asiatiques, nous sommes des gens discrets !
J'ai dit ça avec la voix de mon père, et on a ri, Max et moi. C'est drôle, mais mon frère est plutôt sympa quand on est seul avec lui. À la maison, souvent, il provoque tout le monde, et ça finit en dispute. C'est nul.
– Mais ça, Max, ça, ce sont les racistes qui insultent les gens ! Des personnes qui n'aiment pas les étrangers, ou les immigrés, ou les enfants des immigrés ! Mais les profs, ils n'ont pas le droit d'être racistes ! À l'école, on doit être protégés[34] des idiots !
Max a souri.
– Malheureusement, il n'y a pas de lois pour interdire aux gens d'être bêtes, petite sœur !
– Mais les profs ont fait des études[35] ! Quand on fait des études, on est intelligent ! Et quand on est intelligent, on n'est pas raciste !

Max a ri.

– Si tous les gens qui font des études sont intelligents, alors moi, je suis Michael Jackson ! Non, sérieusement[36], Julie, toi, tu dois savoir ça : ce n'est pas parce que tu es Noir que tu es 5 un voleur, ce n'est pas parce que tu as fait des études que tu n'es pas raciste, et ce n'est pas parce que tu as les yeux bridés que tu aimes les Sushis ! En plus...

Nous arrivions dans ma rue.

– ... En plus, ce que tu me dis sur tes profs, ce n'est pas vraiment 10 du racisme. Regarde, ton monsieur Dunol, il est raciste ?

– Non.

– Et monsieur Samouar ?

– Non plus, enfin, pas vraiment. Mais il est bizarre avec nous.

– Ça, d'accord. Mais plus que du racisme, ce sont souvent de la bêtise[37], des préjugés, des clichés*, ou de la peur. Ou un 15 manque de tact et d'expérience... Les gens ne savent pas comment parler à ceux qui sont différents.

– De la peur ? De l'expérience ?! Max ! Je suis une fille de 14 ans ! Pas un animal dangereux !

– Ah bon ? Et moi ? Tu me trouves dangereux ?

20 – Toi ? Non ! Bien sûr que non ! Un peu fou, mais pas dangereux !

– Mais quand je viens manger avec la famille, nos parents et notre frère ne savent pas comment parler avec moi !

* **Un cliché :** un stéréotype.

Ils me mordent[38], parce que je suis différent. Ils ont peur de moi. Ils ont des préjugés sur les musiciens[39], et aussi sur mes amis. Mais ils ne connaissent pas ma musique, et ils ne connaissent pas mes amis, non plus !

De nouveau, j'ai pris la voix de notre père :

– Tu dois être plus discret, Luong ! Tu ne dois pas te faire remarquer quand tu viens à la maison ! Chez les Asiatiques, c'est comme ça !

Max a ri.

– Et bien ! Je préfère encore manger du poisson cru et ne pas être discret ! Mais dis-moi, petite sœur, tu sais que tu deviens drôle, avec l'âge ?

Ça m'a fait plaisir[40]. D'habitude, on me dit que je suis obéissante[41], sérieuse, ou que je suis une bonne élève, ou que mes nems sont très bien faits, mais drôle… C'est la première fois !

Et c'est peut-être vrai, Max a peut-être raison : finalement, mes parents aussi sont un peu racistes. Ils aiment seulement ce qui est vietnamien, les gens qui sont comme eux, et c'est tout.

Ce qui est bien, c'est que depuis que j'ai dit non à monsieur Dunol, Manon me trouve sympa. À la récré, elle est restée avec moi. Elle m'a dit :

– Tu as eu raison de dire non ! Dunol, il veut toujours tout décider à notre place ! On dirait un père du Moyen-Age[42] !

La récréation dure en général 15 minutes pour que les élèves discutent et jouent entre eux.

On a rigolé, et puis on a discuté pendant toute la récré, et le midi à la cantine*. Le soir, après les cours, elle m'a dit :
– Finalement, tu es plutôt sympa !
– Ça te surprend ?
5 – Ben, un peu !
– Pourquoi ?
– Parce qu'avec vous, les Asiatiques, on ne sait jamais qui vous êtes vraiment ! Vous êtes toujours tellement discrets ! On ne sait jamais si vous êtes sympas ou non, mais en même temps,
10 on se méfie des gens qui ne parlent jamais !
Là, c'est moi qui ai été surprise ! Mon père dit toujours :
– Être discret, ne pas se faire remarquer, c'est être sûr que personne ne pensera du mal de vous !
Et finalement, il a tort[43]. C'est dingue*.
15 Peut-être que je vais avoir une nouvelle amie… parce que je me suis faite remarquer !

* La cantine : le restaurant de l'école.
* C'est dingue : c'est incroyable.

Bref, quand je suis rentrée à la maison aujourd'hui, j'étais de bonne humeur. Être avec quelqu'un pendant la récré, c'est super bien et finalement, Max est très sympa ! J'ai fait mes devoirs, puis j'ai nettoyé[44] la cuisine, et préparé le repas du soir, comme d'habitude. En fait, tout était comme toujours : collège, devoirs, cuisine.

Ma famille est rentrée de l'épicerie. Ma mère a dit :

– Tu as encore oublié de nettoyer sous les poubelles, An Binh !

Mon frère a dit :

– An Binh, demain, tu dois aller chercher Vinh à l'école. Moi, je suis à l'épicerie, et Kim Liên a rendez-vous chez le médecin ! Tu feras le dîner de ton neveu, et tu resteras avec lui jusqu'à mon retour[45] !

Mon père m'a demandé :

– Tu as fini tes devoirs ? Tu as travaillé pour ton interro de maths ? Alors après le repas, tu vas m'aider.

Soudain, je me suis sentie très fatiguée.

Vuong et Kim Liên, eux, étaient joyeux[46]. C'était bizarre. Ils se regardaient tout le temps, et ma belle-sœur riait sans raison. Quand tout le monde a été assis, Vuong s'est levé. Il a salué[47] ma mère, puis mon père. Kim Liên riait toujours.

– Père, mère. Ma chère femme Kim Liên et moi, nous avons une bonne nouvelle pour la famille ! Nous voulions attendre le rendez-vous chez le médecin pour le dire, mais bon… Alors voilà : dans cinq mois, vous serez grand-parents pour la deuxième fois !

Et là, mon frère et sa femme sont devenus rouges, tous les deux. Mes parents sont restés comme toujours, très calmes. Mais ils avaient les larmes aux yeux[48], on voyait qu'ils étaient heureux. Vinh, lui, criait :
– Je vais avoir un bébé ! Je vais avoir un bébé !
Mes parents ont embrassé Kim Liên et Vuong et les ont félicités[49]. Vuong a ouvert une bouteille de champagne*, et même moi, j'ai eu un verre ! J'étais contente pour eux, et pour mes parents qui adorent les enfants. Tout allait bien. Et là, Vuong m'a regardée et a dit :
– Tu es contente, An Binh ? Tu vas pouvoir aider Kim Liên avec le bébé ! Tu pourras aussi t'occuper plus souvent de Vinh, comme ça, Kim Liên aura plus de temps pour le petit !
Alors j'ai vu le film de ma vie :
Moi, en France, mais toujours avec la famille ! Toujours avec des Vietnamiens ! Et toujours à travailler, travailler, et encore travailler. Un cauchemar[50]...
Moi, tout ce que je veux, c'est vivre comme une ado normale, faire du shopping avec des copines, aller au ciné, et faire autre chose que travailler, faire les devoirs, et m'occuper des enfants des autres ! Sauf si on me paye pour ça !
Tout le monde était heureux. Normal : pour mes parents, pour mon frère et pour ma belle-sœur[51], la vie, c'est ça : la famille, les repas, le travail, les bébés. Mais leur bonheur[52] à eux est mon malheur à moi.
Je veux bien faire plaisir à ma famille, mais pas tout le temps !

* **Ouvrir une bouteille de champagne :** traditionnellement en France on ouvre une bouteille de champagne (vin pétillant) avec les amis ou la famille pour célébrer une bonne nouvelle.

1. Deux mois plus tard...

Vuong et Kim Liên vont avoir une fille. Hier soir ma belle-sœur a pleuré toute la soirée après son rendez-vous chez le médecin. Mon frère n'a pas parlé pendant tout le repas, mon père non plus, et ma mère a soupiré[1] pendant des heures. Au début, j'ai fait comme tout le monde, et j'ai été triste. Et puis, j'ai réfléchi, 5
et je n'ai pas compris cette ambiance, comme si quelqu'un était mort. C'est vrai : une fille, c'est bien non ? Moi, je suis contente. J'ai demandé à Kim Liên :

– Dis, pourquoi est-ce que tu pleures ? Le médecin a dit quelque chose ? Le bébé va mal ? 10
– Non, le bébé va bien ! Mais je suis tellement déçue[2] ! Tellement, tellement déçue !

Mon frère et mes parents ont fait « oui oui, nous aussi » avec la tête.

J'ai demandé à ma mère : 15

– Toi aussi, tu as été déçue quand je suis née ?

Et elle a répondu :

– Bien sûr ! Qu'est-ce que tu crois ?
– Mais pourquoi ?

Mon frère a dit : 20

– Parce qu'une fille, c'est cher et ça ne sert à rien[3] !

Il avait l'air déçu… et méchant[4]. Je ne l'avais jamais vu comme ça. De temps en temps, il regardait nos parents, comme s'il voulait s'excuser, comme si c'est lui qui les avait déçus !

– Pourquoi une fille ça … ? Comment tu peux dire ça ? 25

Je ne comprenais pas. MOI je suis chère ? MOI je ne sers à rien ?!! J'ai dit :

– Je fais plein de choses ici ! J'aide notre mère, j'aide ta femme ! Je travaille à l'école ! Je travaille à l'épicerie ! Je...

Vuong m'a interrompue[5].

– C'est normal. Les enfants doivent respecter et aider les parents. Mais plus tard, notre famille va devoir payer très cher pour te trouver un mari*, et c'est aussi la famille de la femme qui paye le mariage[6]* ! Et après, la femme va vivre avec son mari, et les parents de la femme n'ont plus rien, plus d'argent, et plus de fille pour les aider ! Il a répété :

– C'est pour ça que les filles, c'est cher et ça ne sert à rien !

Kim Liên a pleuré encore plus fort.

Je ne comprenais toujours pas. Mais tout le monde était tellement déçu et triste ! J'ai voulu les consoler[7].

– Ne vous en faites[8] pas ! Moi, je veux devenir prof, et je pourrai payer mon mariage ! Et puis, je ne suis pas obligée de me marier ! En France, les gens font...

Tout le monde a levé la tête et on m'a regardée comme si j'étais folle.

– TU N'ES PAS OBLIGÉE DE QUOI ?!

– Euh, de me marier, père ! Je ne suis pas obligée de me marier ! Aujourd'hui, en Europe, les gens vivent ensemble et ...

– TU ES VIETNAMIENNE, ET TU FERAS CE QUE TON PÈRE TE DIT ! a crié mon père.

– ET TON PÈRE TE DIT QUE TU VAS TE MARIER ! AVEC UN VIETNAMIEN !

C'était la première fois de ma vie qu'il criait comme ça. J'étais tellement choquée, je n'ai plus rien dit.

* **La dotte** : dans certaines cultures, les parents de la femme doivent payer pour le mariage une grosse quantité d'argent au mari.

* **Le mariage** : pour les Vietnamiens, le mariage est très important et suit un rituel très particulier.

2. Jeudi, 12h30, à la cantine

– Tu vas y aller, toi ?
– Bien sûr ! Et toi ?
– Moi aussi ! C'est trop cool* !
Manon et moi mangeons à la cantine avec Naïma, Marco et Simon. Manon et moi, on est les meilleures copines du monde maintenant, et au collège, je suis beaucoup moins discrète ! Du coup, les autres élèves m'aiment bien, aussi, et j'ai plein de copains ! Avec eux, on rit tout le temps !
Bref, ce matin, madame Schöne, la prof d'allemand, nous a annoncé une bonne nouvelle : on va partir au Maroc ! Elle nous a expliqué :
– L'Office[9] Franco-Allemand pour la Jeunesse[10] aide les profs à organiser des échanges[11] entre des collégiens de France, d'Allemagne et du Maghreb. Alors si vous et vos parents êtes d'accord, nous partirons d'abord au Maroc, rencontrer des jeunes de votre âge, des Allemands et des Marocains, puis, dans deux mois nous allons en Allemagne, avec les mêmes jeunes, et enfin, en mai, tout le monde vient en France, et vous pourrez présenter votre pays à vos nouveaux amis ! Qu'est-ce que vous en pensez ?
Mohammed a dit :
– Bof, moi, les Arabes, j'en ai plein dans mon appart[12] ! C'est pas la peine[13] d'aller au Maroc pour les rencontrer !

* C'est cool : c'est génial.

Le Maghreb regroupe plusieurs pays du nord de l'Afrique. Le Maroc, l'Algérie, la Lybie et la Tunisie sont des pays maghrébins.

Fanny a demandé :
– Madame, on peut pas plutôt partir en Afrique ? Mon père, il vient du Mali, mais je n'y suis jamais allée et...
– Ouais ! En Afrique ! Mais au Sénégal, madame ! Comme ça, ma mère, elle peut venir avec nous ! Ça fait deux ans qu'elle n'a pas vu sa famille !
– Et on peut pas aller à Londres, madame ? C'est plus cool que l'Allemagne, Londres !
On était tous super contents !
Moi, je trouve ça génial ! Je ne suis jamais sortie de Paris, alors DEUX voyages[14] !!! C'est trop top* ! Trop trop top ! Donc, quand Manon me demande : Tu vas y aller, toi ? je réponds :
– Bien sûr !
Par contre, Naïma a l'air[15] triste.
– Moi, je ne sais pas encore. Mon père est très sévère[16], il va sûrement dire non.

* **C'est trop top !** : c'est super !

– Ah bon ? Et pourquoi ?
– Je ne sais pas. Mais je n'ai jamais le droit de sortir avec des copines. Alors un voyage...
– Oui mais là, c'est avec l'école !
– Oui, peut-être qu'il sera d'accord. Mais je dois d'abord lui demander... 5

– C'est non !
– Hein ?
– C'est non, An Binh !
J'avais oublié un détail : moi aussi, je dois d'abord demander à mon père pour le voyage. Et il ne veut pas. 10
– Mais pourquoi, père ? Pourquoi ?
Je n'en reviens pas[17] !
– Parce que ! Une jeune fille ne voyage pas sans ses parents ! C'est tout ! 15
– Mais père ! C'est un voyage du collège ! Tout le monde y va ! Si je suis la seule qui ne part pas, je vais me faire remarquer ! Ce n'est pas très discret, d'être la seule élève de la classe qui reste à la maison !
– Ça m'est égal ! Au Vietnam, les enfants restent chez eux, avec leurs parents ! C'est là, la place des enfants : avec les parents ! 20

– Mais père ! Nous sommes en France ! Au 21ème siècle ! Les filles voyagent comme les garçons ! Et en plus, toutes les 3ème du collège font un voyage à l'étranger[18] et…

En France, il est fréquent que les collèges ou les lycées organisent des voyages scolaires pour s'améliorer en langue.

– C'est non, An Binh, n'insiste[19] pas ! Tu resteras ici, et quand ta classe sera partie, tu viendras travailler à l'épicerie ! Un point c'est tout[20] !

Un jour, j'ai lu que, quand votre mort arrive, vous voyez toute votre vie dans votre tête ! C'est un peu ce qui se passe pour moi : le « non » de mon père, c'est la mort de mon rêve de voyage, et je vois toute ma vie dans ma tête, mon passé[21], et surtout, mon avenir ! Du travail, du travail, les enfants de mon frère, du travail, et plus tard, un mari, et encore du travail avec mes enfants à moi ! Au secours !

– C'est trop injuste[22], père ! Je travaille tout le temps, déjà ! Et un voyage avec le collège, c'est aussi du travail ! On va apprendre des choses sur l'Europe, sur l'Afrique, sur les autres cultures et l'histoire et…

– An Binh…

La voix de mon père change. Déjà, il est tout rouge, comme quand il se dispute avec Max.
– Et comment je peux être meilleure que les autres, ou aussi bonne, si je n'ai pas les mêmes chances ! Les vrais Français ne m'accepteront jamais si vous m'obligez à rester différente ! Même mes profs ne comprennent pas que je ne suis pas seulement une Vietnamienne ! Que je suis aussi une fille comme les autres ! Mais c'est normal, puisque[23] mes parents m'empêchent[24]* de vivre comme les autres ! À CAUSE DE VOUS, JE RESTERAI TOUJOURS UNE ÉTRANGÈRE DANS LE PAYS OU JE SUIS NÉE !!!!
Je ne reconnais plus ma voix. C'est fou ! Moi, An Binh, « celle qui aime la paix », je crie avec mon père !
– AN BINH !
Mon père est encore plus rouge, mais ça m'est égal.
– Et puis d'abord, pourquoi vous êtes partis du Vietnam, si c'est pour y rester dans vos têtes, hein ?
Je pars, et je claque la porte derrière moi.

– Bravo, Julie ! Je suis fier de toi !
Max m'a fait un chocolat chaud, pour me calmer. Je suis trop, trop énervée !
– Fier ? Maman a raison Max : tu es vraiment fou !
Nous sommes assis dans sa cuisine, Max, deux copains à lui,

* **Empêcher :** interdire à quelqu'un de faire quelque chose.

et moi. C'est la première fois que je viens chez lui. Je suis vraiment trop, trop énervée.

– Oui, tu es vraiment fou ! Max, j'ai crié ! Avec père ! Je suis partie, j'ai désobéi[25], je n'ai pas respecté son avis, je ne peux plus rentrer à la maison, plus jamais jamais, parce que notre père va me tuer[26] ! Et toi, tu es fier de moi ?

– J'ai dit : je suis fier ! Je n'ai pas dit : tout va bien ! Parce que c'est clair, maintenant, tu es une vraie rebelle ! Et tu as un gros, gros problème...

– Bienvenue au club !

C'est un de ses copains qui a dit ça. Tout le monde rigole*... sauf moi.

– Quel club ?

– Le club des jeunes rebelles ! répond mon frère. Ici, c'est un peu leur maison ! Je vais te présenter tes nouveaux amis, chère petite sœur !

Mon frère m'énerve un peu. Ma situation est grave, mais lui, il rigole ! Et ses copains aussi ! Mon père a peut-être raison : les musiciens sont tous des idiots !

Max continue son discours[27].

– Alors, voici Fred, qui joue de la guitare dans notre groupe. Ses parents viennent du Sénégal. Fred devait travailler avec son oncle après l'école, et envoyer tout son argent à la famille en Afrique. À 18 ans, il a dû se marier avec une cousine. Finalement, il s'est enfui et a tout quitté. Lui, c'est Farid, d'origine algérienne. Ses parents sont

* Rigoler : rire.

très sévères et pour eux, la musique américaine, le rock, c'est une invention[28] du diable ! C'est notre bassiste, alors tu imagines ! Sa copine s'appelle Maria, ses parents sont des immigrés portugais, et ils voulaient qu'elle se marie avec un Portugais, comme eux ! Pourtant, ils vivent en France depuis 35 ans ! Dans notre collocation*, il y a encore Grégoire. Il est parti de chez lui à 16 ans parce que lui voulait faire de la musique, mais ses parents ne le voulaient pas. Et surtout pas avec des jeunes Noirs ou des Maghrébins ! Et il y a moi, mais tu connais mon histoire.

Tout le monde était sérieux.

– Euh, vous voulez dire que vous êtes tous partis de chez vous ? Et vos parents ne vous ont pas tués ? Ils ne vous ont pas cherchés ?

– Moi, je ne sais pas. Ça fait cinq ans que je n'ai pas vu ma famille, me dit Fred.

– Moi, maintenant, ça va, m'explique Farid. Au début, c'était dur, mais finalement, mes parents ont compris : je suis né en France, je vis en France, donc, c'est normal de vivre comme un Français. Libre. Ça ne m'empêche pas d'aimer mes parents, de les respecter, et d'aimer aussi l'Algérie ! D'ailleurs[29], il y a beaucoup d'enfants d'immigrés qui font les deux : aimer la France, et le pays de leurs parents. Aujourd'hui, ce n'est plus un problème ! On n'est plus obligé de choisir !

– Ben, tu vas expliquer ça à mon père ! Lui, il ne pense pas la même chose !

– C'est normal, petite sœur. Nos parents sont arrivés en France il y a très longtemps. Pour se rassurer[30], ils se sont installés dans un quartier avec des gens qui leur ressemblent. Et ils

* **Collocation :** les étudiants, quand ils partent de chez leurs parents, se réunissent parfois pour vivre ensemble dans un même appartement. On dit qu'ils vivent en collocation. Ils sont collocataires.

sont restés très Vietnamiens, mais Vietnamiens du siècle dernier ! Ils ne savent même pas que le Vietnam aussi a changé, que c'est un pays plus moderne ! Ils pensent que le Vietnam est toujours aussi pauvre, et sévère, que quand
5 ils y vivaient ! Et aussi : comme ils ne connaissent pas de Français, ils en ont peur. Ils ont peur de la culture française, parce qu'ils ne la connaissent pas vraiment.

– Oui, j'avais déjà compris ça : nos parents sont étrangers et racistes en même temps !

10 – Exactement. Donc, on peut les comprendre. Par contre, toi, tu vas devoir te décider !

– Pourquoi ? Farid vient de dire que…

– Non, je ne veux pas dire te décider pour ou contre le Vietnam, ou pour ou contre la France !

15 Mon frère me regarde, très sérieux.

– Mais tu vas devoir répondre à cette question : es-tu une rebelle, An Binh-Julie, ou es-tu une gentille petite fille obéissante ?

– C'est non, père !

– Pardon ?!!!

20 – J'ai dit : c'est non, père ! Je ne rentre pas à la maison. Je reste chez Max.

J'ai écouté Max, et j'ai pris une décision[31]. Et maintenant, c'est officiel : An Binh-Julie Nguyen est une rebelle ! Une vraie !

Ça fait trois jours que j'habite chez Max. Le premier soir, j'ai
25 appelé mes parents pour leur dire où j'étais. Je leur ai dit aussi :

– Je ne veux pas rentrer ! Pas si vous m'obligez à vivre comme une étrangère en France, alors que je suis née ici, et que je vous ai toujours obéi !

Ma mère était tellement surprise ! Elle a raccroché[32] sans rien dire ! Le lendemain, ma belle-sœur est venue chez Max, avec des affaires pour moi. Elle m'a dit :

– Tu as raison, An Binh ! Ce n'est pas toujours facile d'être une fille d'immigrés, et tes parents sont vraiment trop sévères ! Mais, euh, ne leur dis pas que j'ai dit ça, hein ? En fait, ils ne savent pas que je suis venue ! Ils pensent que je suis chez le médecin.

Elle nous a dit aussi :

– Luong, les parents disent que tout est de ta faute.

– Et moi ?

– Toi ? Euh, ben... Je ne sais pas. Hier soir, après ton appel[33] ils n'ont rien dit de toute la soirée !

Pendant ces trois jours, j'ai continué à aller au collège. Le soir, j'ai beaucoup discuté avec Max et ses copains.

– Tu vois, tu as deux possibilités, m'a dit Max.

– Première possibilité[34] : tu t'excuses, tu dis, je sais pas moi, que c'est de ma faute, ou que ce sont les hormones, enfin, ce que tu veux. Puis tu rentres à la maison, et après trois ou quatre jours, tout sera oublié, et tout sera comme avant...

– Ou alors ?

– Ou alors, deuxième possibilité : tu résistes[35] ! Tu défends tes opinions[36] ! Tu te bats[37] pour vivre la vie que tu veux vraiment ! Enfin, pour au moins[38] essayer de vivre comme tu veux ! C'est dur, c'est même super dur. Mais c'est ta seule chance de vivre libre.

– Comme toi et tes copains ?

– Oui. On a presque tous des problèmes avec nos familles, mais au moins, on vit comme on veut.

J'ai aussi discuté avec les parents de Manon. Parce que pour la première fois de ma vie, je suis allée chez une copine un mercredi après-midi ! Je me sens libre comme l'air…
… mais en même temps, je n'ai que 14 ans, et j'aime ma famille,
5 même si ce n'est pas toujours facile. Mes parents me manquent, le petit Vinh me manque, et même les nems me manquent ! Alors ce soir, j'ai appelé mes parents. Mon cœur battait très fort.

Mon père n'a rien dit sur mon départ. Mais il m'a demandé :
– Samedi prochain, c'est la fête du Têt. Tes amis de l'association
10 comptent sur[39] toi. Tu viendras, An Binh ?
Sa voix était bizarre. Comme s'il pleurait.
Et c'est là que j'ai dit :
– C'est non, père.
Et nous nous sommes encore disputés pendant une heure, au téléphone.

– Tu crois qu'ils vont venir ?
– Je ne sais pas. C'est une idée tellement folle !
– Oui, tu... Oh ! Regarde ! Ce ne sont pas eux ?
– Si ! Max ! Max ! Nos parents sont là ! Regarde !
L'idée, c'était la mienne[40]. C'est le marché[41] que j'ai proposé à mon père au téléphone : 5

– Si tu veux que je vienne à la fête du Têt et que je danse avec les autres, toi et mère, vous devez venir à un concert de Max !
– QUOI ?!!
J'ai cru que mon père allait mourir au téléphone. Max me regardait avec des yeux tout ronds[42] pendant que je téléphonais avec notre père. 10

– Oui, c'est comme ça ! Je veux vous voir au bar où ils jouent samedi soir ! Vous ne l'avez jamais écouté ! Mais si les parents veulent que les enfants les respectent, si vous voulez que nous nous intéressions à votre culture, alors, vous devez vous aussi respecter vos enfants, et vous intéresser à notre culture !

Jamais je n'avais dit une phrase aussi longue à mon père ! Comme il ne répondait pas, j'ai cru que je l'avais tué avec tous ces mots ! J'ai eu tellement peur, j'ai raccroché sans attendre sa réponse ! Et là, incroyable[43] : mes parents sont là ! Pour la première fois de notre vie à tous, ce sont les parents qui vont nous écouter !

3. Epilogue

Bon, ça n'a pas été le concert du siècle ! Mes parents sont restés toute la soirée avec un verre d'eau dans les mains, et une tête comme s'ils allaient mourir dans une heure ! Mais au moins, ils étaient là ! Notre frère et Kim Liên sont venus, eux aussi. Vuong m'a dit :

– Tu sais, vous avez eu raison, toi et Luong-Max. Longtemps, je n'ai pas été d'accord avec vous, mais je crois que j'ai compris. Parce que moi, j'aime bien ma vie, mais si mon fils veut faire autre chose, plus tard, il pourra choisir. La France est un pays libre, alors la maison ne doit pas être une prison[44].

– Et ta fille ?

Mon frère a souri.

– Kim Liên et moi avons beaucoup discuté. Et c'est nul de dire que les filles, ça ne sert à rien ! Je vais essayer d'être un bon père pour ma fille aussi. Mais…

Vuong m'a regardée avec un grand sourire :

– Mais tu ne peux pas être un exemple pour elle ! Tu es beaucoup trop rebelle !

Comme mes parents sont venus au concert, moi, je suis allée à la fête du Têt, et j'ai dansé avec l'association. Manon et sa famille étaient là, aussi. Le père de Manon va souvent au Vietnam pour son travail, et il a beaucoup discuté avec mes parents. Il connaît même le village de mes grands-parents ! Après la fête du Têt, j'ai expliqué à mes parents pourquoi le voyage est si important pour moi. Mon père a appelé le père de Manon, puis ma prof, Vuong et Kim Liên étaient de mon côté, et finalement, mon père a accepté, et je vais faire les deux voyages avec le collège ! Et aujourd'hui, Max a organisé une super fête pour l'anniversaire de notre neveu !

Autour d'une grande table, il y a les copains de Max, la famille de Farid, Manon et sa famille, mes nouveaux copains du collège, Simon et Brahim… et ma famille ! Chose incroyable : mes parents sourient ! Ils discutent avec le père de Manon, et ont l'air presque heureux. Maria joue avec Vinh et parle avec ma

belle-sœur du bébé qu'elle attend, Manon regarde Grégoire avec des yeux amoureux, Fred et Farid montrent leur guitare et la basse à Simon et Brahim... C'est une journée idyllique[45] ! Même les nems que nous avons faits hier avec Kim Liên et ma mère sont délicieux !

– Tu penses à quoi, petite sœur ?

Max vient s'asseoir à côté de moi.

– Je pense que cette grande table ressemble aux grandes tables dans les livres d'Astérix ! Tu sais ? À la fin, quand tout le monde se retrouve pour faire la fête ! Et ce qui est drôle, c'est qu'ici, il y a aussi des Gaulois[46] noirs, ou qui ont les yeux bridés, ou qui s'appellent Brahim !

– C'est normal petite sœur ! Cette table, c'est le miracle[47] de l'intégration ! C'est un peu difficile, parfois, mais c'est tellement bien quand ça marche !

Le personnage de bande dessinée Asterix a été créé par René Gosciny à la fin des années 50.

1. Complétez la grille après avoir lu les définitions.

1 C'est le fils de mon frère : mon ____________

2 C'est le père de ma mère : mon ____________

3 Mon père et ma mère : mes ____________

4 Elle est mariée avec mon frère : ma ____________

5 La fille de mon oncle : ma ____________

6 La sœur de mon père : ma ____________

7 Le fils de mes parents : mon ____________

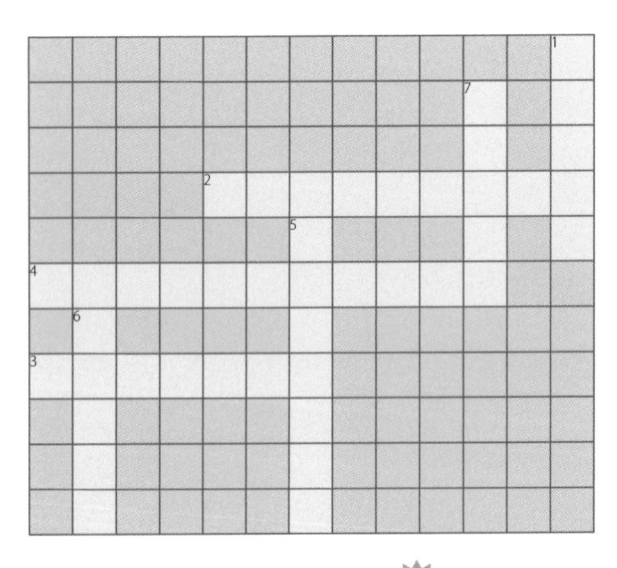

2. Présentez la famille de An Binh en 5 lignes.

3. Avez-vous compris le chapitre ? Cochez vrai, faux ou « on ne sait pas ».

	vrai	faux	?
An Binh n'aime pas les mathématiques.			
Elle aime les bonbons.			
An Binh est française.			
An Binh n'aime pas la géographie.			
An Binh aime porter des robes.			
An Binh aime l'espagnol.			
An Binh aime lire.			
Le 13e arrondissement est un quartier chinois.			

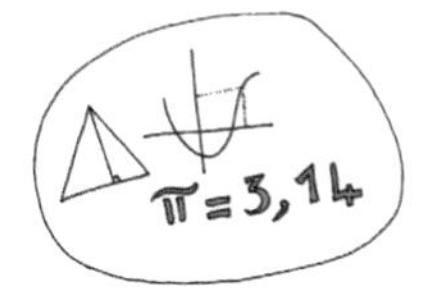

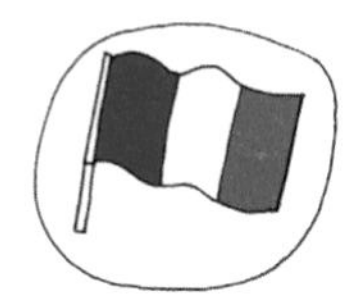

4. An Binh a beaucoup d'obligations et d'interdictions, classez les activités suivantes dans la colonne qui correspond.

	elle peut	elle doit	elle ne peut pas
Se faire remarquer.			
Utiliser son prénom vietnamien.			
Obéir à ses parents.			
Être discrète à l'école.			
Aider ses parents à l'épicerie.			
S'occuper de son neveu.			
Faire du shopping.			
Porter des robes.			
S'habiller comme une française.			
Porter la robe traditionnelle.			
Faire du sport.			
Parler vietnamien.			
Faire ses devoirs.			
Aller au cinéma.			

5. Complétez avec la forme correcte.

Mes parents ont devoir ________________ quitter leur pays.
Ils sont arriver ________________ en France en 1977. Le trajet
a être ________________ difficile. Les parents de ma mère sont
mourir ________________ sur le bateau. Les parents de mon père
ont donc adopter ________________ ma mère. Mes parents se sont
marier ________________ quelques années plus tard.

6. Répondez aux questions suivantes.

1 Les grands-parents d'An Binh ont vécu une expérience très difficile quand ils étaient jeunes. Qu'en pensez-vous ?

____

____

____

2 Avez-vous des personnes dans votre entourage qui ont vécu une époque très difficile ? Racontez leur histoire.

____

____

____

____

7. Les deux frères de An Binh ne s'entendent pas très bien. En français, il existe une série d'expressions pour dire que deux personnes s'entendent ou au contraire ne s'entendent pas. Classez dans le tableau les expressions ci-dessous en fonction de leur sens.

- Être comme le yin et le yang.
- Être copains comme cochon.
- S'entendre comme larrons en foire.
- Être comme le jour et la nuit.
- Être comme les deux doigts de la main.
- Être comme chien et chat.

Quand deux personnes s'entendent bien.	Quand deux personnes ne s'entendent pas.

8. Qui fait quoi ? Associez les deux parties de la phrase.

1 Ma mère
2 Mon père
3 Mon frère Vuong
4 Max et le reste de la famille
5 Kim Liên
6 Moi

a se met en colère.
b ne s'entendent pas très bien.
c je débarrasse la table.
d regarde ses pieds.
e claque la porte.
f devient rouge.

9. Trouvez le synonyme du mot souligné.

1 Ils n'ont pas de ***hobbys***, pas d'amis, rien :

animaux de compagnie | jeux de société | loisirs

2 Et il dit que c'est nul parce que nous vivons tous sur la même planète.

c'est génial | c'est mal | c'est magnifique

3 Occupe-toi de tes affaires !

tes problèmes | ton argent | tes vêtements

10. Répondez aux questions suivantes.

1 Quelle est la profession des parents de An Binh ?

2 Pourquoi n'a-t-elle pas beaucoup d'amis ?

3 Pourquoi Max ne s'entend-il pas avec le reste de la famille ?

4 Pourquoi An Binh dit-elle qu'elle a deux vies ?

5 Pourquoi ses parents veulent-ils être à tout prix discrets ?

6 Que veut dire le prénom An Binh ?

1. Lisez les deux textes. Lequel résume le mieux le chapitre ?

Résumé 1 ☐

En cours d'histoire le prof pense que les enfants d'immigrés veulent travailler sur leur pays d'origine. Comme d'habitude, An Binh dit non. Le prof de maths, manque de tact et fait une bonne blague. Il pense que An Binh est chinoise et donc mange des sushis. Plus tard elle apprend qu'elle va avoir un autre neveu. Elle est heureuse car elle va avoir plus de choses à faire.

Résumé 2 ☐

En cours d'histoire le prof pense que les enfants d'immigrés veulent travailler sur leur pays d'origine. Pour la première fois, An Binh dit non. Le prof de maths, manque de tact et fait une mauvaise blague. Il pense que An Binh est japonaise et donc mange des sushis. Plus tard elle apprend qu'elle va avoir un autre neveu. Elle est un peu déçue car elle va avoir plus de choses à faire.

2. Avez-vous compris le chapitre ? Cochez vrai ou faux.

	vrai	faux
Le professeur d'histoire décide souvent à la place des élèves.		
An Binh n'aime plus le Vietnam.		
Manon commence à s'intéresser à An Binh parce qu'elle est discrète.		
An Binh n'a pas l'habitude de donner son opinion.		
Max et An Binh s'entendent de moins en moins bien.		
Les parents d'An Binh sont un peu racistes.		
An Binh se réjouit à l'idée d'avoir un autre neveu.		

3. Associez les qualités et défauts suivants à un des personnages.

	égoïste	tranquille	timide	intelligent(e)	agréable	drôle
An Binh						
Max						
Vuong						

4. À l'aide d'un dictionnaire, complétez ce tableau avec d'autres adjectifs qui expriment une qualité ou un défaut.

qualité	défaut

5. À votre avis, quelles sont les qualités...

1 d'un frère / d'une soeur ? : ______________________________

2 d'un(e) ami(e) ? : ______________________________

2 d'un(e) professeur(e) ? : ______________________________

6. Voici quelques matières enseignées au collège en France. Associez chaque matière à une description.

1 éducation physique

2 sciences de la vie et de la terre

3 technologie

4 français

5 langue vivante

a On y apprend l'informatique et à construire des choses.

b On y découvre tous les sports et leurs règles.

c On y analyse des textes et on apprend à rédiger.

d Grâce à elle, on peut parler une autre langue.

e Elle nous permet de mieux comprendre la nature.

7. Retrouvez les mots du chapitre.

x	d	r	a	h	n	i	r	j	u	e	b	m
d	e	u	m	a	t	h	s	t	o	a	i	y
r	s	t	z	b	p	e	l	t	r	i	z	s
o	p	r	l	i	g	u	a	u	e	z	a	t
l	r	e	n	t	r	e	e	u	b	y	r	e
e	e	t	d	u	a	p	r	l	e	i	r	m
o	j	o	e	d	a	t	a	c	t	o	e	e
n	u	k	g	e	p	k	y	t	e	j	a	f
f	g	e	t	a	r	i	p	z	d	b	t	i
u	e	f	n	e	t	t	o	y	e	r	l	e
s	u	e	h	e	d	i	x	v	v	t	r	r

- maths
- rentrée
- habitude
- bizarre
- préjugé
- bête
- tact
- drôle
- méfier
- nettoyer

8. Associez ces plats à leurs pays d'origine.

1 Les sushis sont ________________

2 La paella est ________________

3 Le tiramisu est ________________

4 La quiche est ________________

5 La moussaka est ________________

6 Le guacamole est ________________

7 Le couscous est ________________

8 La forêt noire est ________________

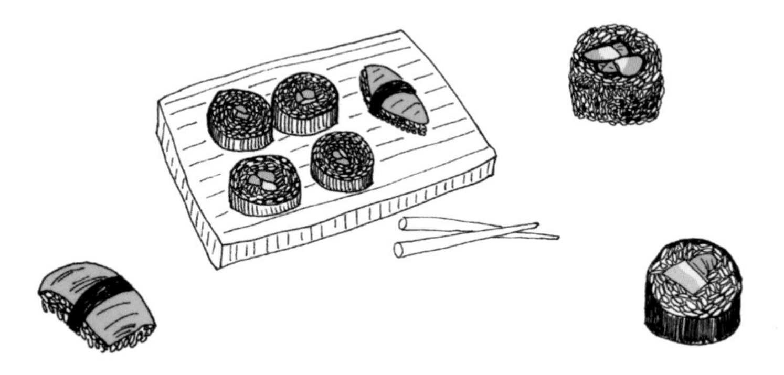

9. Associez les mots du chapitre à leur synonyme.

1 rentrée	a pas cuit
2 amusant	b préjugé
3 truc	c de mémoire
4 par cœur	d chose
5 cliché	e test
6 interro	f le début de l'année scolaire
7 cru	g drôle

10. Complétez ces phrases avec les expressions suivantes.

par coeur | avoir le coeur sur la main | avoir mal au cœur | avoir un haut le cœur | être un cœur à prendre | avoir grand coeur

1 Il est très généreux ____________________

2 Il a mémorisé le texte, il le connaît ____________________

3 Elle est célibataire ____________________

4 Elle est triste ____________________

5 Il est très gentil ____________________

6 Il trouve ce plat dégoûtant ____________________

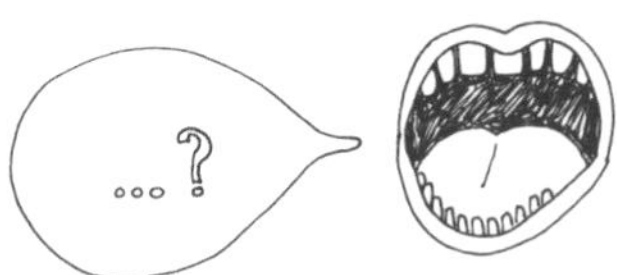

11. Associez les phrases du chapitre.

1 Max

2 Manon

3 Mes parents

4 Le prof de maths

5 Les gens

6 Tous les asiatiques

a nous l'aimons bien.

b me regardent et me parlent bizarrement parfois.

c ne mangent pas du poisson cru.

d me trouve sympa.

e est venu me chercher au collège.

f ont embrassé Kim Liên et Vuong.

12. Après avoir lu l'histoire, écrivez le nom de la personne qui dit chacune de ces phrases.

	nom
Mais dis donc, tu sais que tu deviens drôle avec l'âge ?	
Tu vas pouvoir aider Kim Liên avec le bébé.	
Tu as de la chance parce que tu es une fille.	
C'est parce que nous les asiatiques nous sommes des gens discrets.	
Malheureusement il n'y a pas de lois pour interdire aux gens d'être bêtes.	
Tu ne dois pas te faire remarquer quand tu viens à la maison.	
Nous avons une bonne nouvelle pour la famille.	

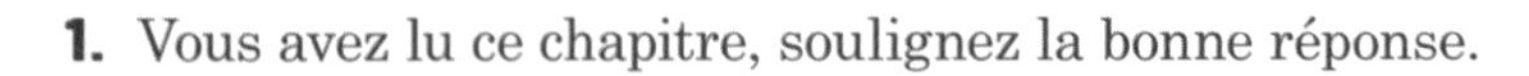

1. Vous avez lu ce chapitre, soulignez la bonne réponse.

1 Au début du chapitre tout le monde est triste…

a parce que le bébé a eu des problèmes à la naissance.

b parce que la famille ne voulait pas une fille.

c parce qu'un oncle d'An Binh est mort.

2 Ils pensent que les filles coûtent plus cher…

a parce qu'elles sont capricieuses.

b parce qu'elles achètent beaucoup de vêtements.

c parce ce qu'il faut payer leur mariage.

3 La classe d'An Binh va visiter…

a l'Allemagne et le Maroc.

b la Suisse et la Turquie.

c l'Espagne et l'Italie.

4 Manon et An Binh sont maintenant…

a les meilleures élèves de la classe.

b les meilleures amies du monde.

c les plus rebelles de la classe.

5 Naïma, l'amie d'An Binh, est triste…

a parce que son père ne la laissera pas partir.

b parce qu'elle n'aime pas l'Allemagne.

c parce qu'elle n'a pas le droit de sortir avec ses copines.

2. Répondez aux questions suivantes.

1 Quels sont les pays que vous aimeriez découvrir avec l'école ? Pourquoi ?

2 Si les élèves de la classe d'An Binh venaient dans votre pays, qu'aimeriez-vous leur présenter de votre culture ?

3. Retrouver les mots du chapitre.

DSOIBERÉ

VENRÉÉ

UOF

RUTE

VÉSÈER

BERELEL

MECHPÊRE

XRÉSIUE

4. Les personnages ont beaucoup changé. Dites comment ils étaient avant et comment ils sont maintenant.

	avant	maintenant
An Binh		
Max		
Vuong		
Kim Liên		
les parents		

5. Selon vous, quel est le personnage qui a le plus changé ? Pourquoi ?

____

____

6. Relisez le chapitre et complétez ces phrases avec les mots que vous trouverez.

1 Pour terminer une conversation téléphonique, je ______________ .

2 Il n'est pas gentil, il est ______________ .

3 Il espérait autre chose, il est ______________ .

4 En résumé ______________ .

5 Une personne qui fait ce qu'on lui dit est ______________ .

6 Avoir de l´estime pour une personne ______________ .

7. Avez-vous bien compris le texte ?

1 Combien de jours reste-t-elle environ chez Max ?

2 Qui lui apporte ses affaires ?

3 Pourquoi s'appelle-t-elle maintenant An Binh Julie ?

4 Pourquoi ses parents veulent qu'elle choisisse entre la France et le Viêtnam ?

8. Quelle phrase correspond le mieux à chacun de ces personnages ? Cochez la bonne case.

	Vuong	An Binh	son père
Tu as été déçu quand je suis née ?			
Une fille c'est cher et ça ne sert à rien.			
Les enfants doivent respecter et aider les parents.			
Je veux devenir prof et je pourrais payer mon mariage			
Tu es vietnamienne et tu feras ce que ton père te dit			

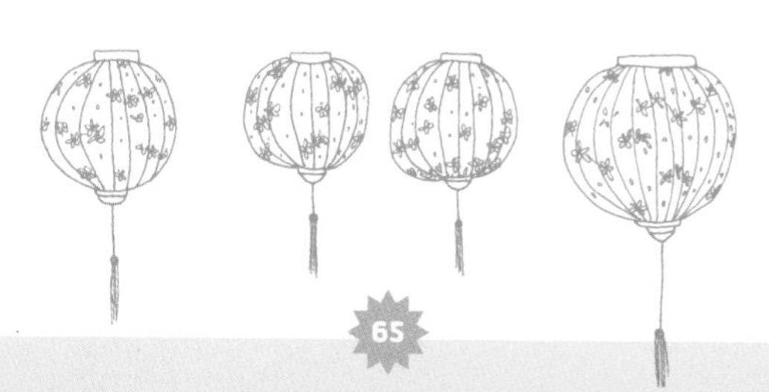

9. Quand son père lui dit non pour le voyage, An Binh voit sa vie défiler. Résumez en 5 lignes ce qu'elle voit.

10. Avez-vous compris le chapitre ? Cochez vrai ou faux.

	vrai	faux
An Binh décide de changer de prénom.		
Elle décide de partir vivre avec Max.		
Elle dit à son père qu'elle ira à la fête du Têt si il va voir le concert de Max.		
À partir de maintenant elle n'écoutera plus jamais ses parents.		
Kim Liên ment aux parents d'An Binh pour aller lui donner des vêtements.		

11. Selon Max, An Binh n'a que deux possibilités : s'excusez ou résister. Imaginez le dialogue si elle s'était excusée.

a ______________________________

b ______________________________

a ______________________________

b ______________________________

a ______________________________

b ______________________________

12. Avez-vous bien lu le texte ? Associez les personnages à leur histoire.

1 Fred	**a** est portugaise	**1** devait travailler avec son oncle et se marier avec une cousine
2 Farid	**b** est sénégalais	**2** ses parents pensent que le rock est diabolique
3 Maria	**c** est d'origine algérienne	**3** devait se marier avec un portugais
4 Grégoire	**d** français	**4** n'a pas le droit de faire de la musique avec des Noirs et des Maghrébins

An Binh se rebelle

Français	Espagnol	Anglais	Italien
1. Je vous présente...			
[1] **arrondissement** (m.)	distrito	district	distretto
[2] **main** (f.)	mano	hand	mano
[3] **doigt** (m.)	dedo	finger	dito
[4] **bouche** (f.)	boca	mouth	bocca
[5] **moche**	feo	ugly	brutto
[6] **miroir** (m.)	espejo	mirror	specchio
[7] **yeux bridés** (m.)(pl.)	ojos rasgados	almond-shaped eyes	a mandorla
[8] **immigré** (m.)	inmigrante	immigrant	immigrato
[9] **guerre** (f.)	guerra	war	guerra
[10] **en vouloir à qn**	tener algo en contra de alguien	to have sth against sb	avercela con qcn
[11] **compliqué**	difícil	complicated	complicato
[12] **mort**	muerto	dead	morto
[13] **se marier**	casarse	to get married	sposarsi
[14] **malheur** (m.)	desgracia	hardship	disgrazia
[15] **vieillir**	envejecer	to grow old	invecchiare
[16] **dedans**	dentro	in it	dentro
[17] **autour**	alrededor	around it	intorno
[18] **âgé**	mayor	elderly	maggiore
[19] **épicerie** (f.)	tienda de ultramarinos	grocery	negozio di alimentari
[20] **diable** (m.)	demonio	devil	diavolo
[21] **claquer qc**	cerrar algo de golpe	to slam sth	sbattere qc
[22] **respirer**	respirar	to breathe	respirare
[23] **amitié** (f.)	amistad	friendship	amicizia
[24] **franco-vietnamien**	franco-vietnamita	french Vietnamese	franco-vietnamita
[25] **traditionnel**	tradicional	traditional	tradizionale
[26] **environ**	aproximadamente	about	circa
[27] **communautaire**	con colectivos separados	with separate communities	diviso in comunità

Français	Espagnol	Anglais	Italien
[28] **musulman**	musulmán	Muslim	musulmano
[29] **se méfier de qn/qc**	desconfiar de algo/alguien	to be suspicious of sth/sb	diffidare di qcn/qc
[30] **partager qc**	compartir algo	to share sth	condividere qc
[31] **séparer**	separar	to separate	separare
[32] **peau** (f.)	piel	skin	pelle
[33] **racine** (f.)	origen	root	radice
[34] **obéir à qn**	obedecer a alguien	to obey sb	obbedire a qcn
[35] **sauvage**	salvaje	savage	selvaggio
[36] **débarrasser la table**	quitar la mesa	to clear the table	sparecchiare
[37] **défendre**	defender	to defend	difendere
[38] **championnat** (m.)	campeonato	championship	campionato
[39] **fier**	orgulloso	proud	orgoglioso
[40] **Maghrébin**	magrebí	North African	magrebino
[41] **discret**	discreto	discreet	discreto
[42] **dessous**	debajo	under	sotto
[43] **dizaine** (f.)	decena	tens	decina
[44] **certain**	alguno	some	alcuni
[45] **grand écart** (m.)	abismo	gulf	grande divario
[46] **ado**	adolescente	teen	adolescente
[47] **récré** (f.)	recreo	playtime	ricreazione
[48] **CDI** (m.)	biblioteca	library	biblioteca
[49] **être obligé de faire qc**	estar obligado a hacer algo	to be obliged to do sth	essere costretto a fare qc
[50] **loi divine** (f.)	ley divina	divine law	legge divina
[51] **comparer**	comparar	to compare	confrontare
[52] **se faire remarquer**	hacerse notar	to stand out	farsi notare
[53] **s'habiller**	vestirse	to dress	vestirsi
[54] **utiliser**	usar	to use	usare
[55] **ressembler à qn**	parecerse a alguien	to look like sb	somigliare a qcn
[56] **ni vu ni connu**	pasan desapercibidos	nobody notices	nessuno se ne accorge
[57] **tellement**	tanto	so very much	talmente

Français	Espagnol	Anglais	Italien
58 **invisible**	invisible	invisible	invisibile
59 **décevoir**	decepcionar	to disappoint	deludere
60 **paix** (f.)	paz	peace	pace
61 **neveu** (m.)	sobrino	nephew	nipote (di zio)
62 **ciné** (m.)	cine	cinema	cinema
63 **nem** (m.)	rollito vietnamita	Vietnamese roll	nem
64 **risquer sa vie**	poner en peligro su vida	to risk one's life	rischiare la vita
65 **s'enfuir**	escapar	to escape	fuggire

2. Journal de bord

Français	Espagnol	Anglais	Italien
1 **vague d'immigration** (f.)	oleada de inmigrantes	wave of immigrants	ondata di immigrazione
2 **mondial**	mundial	world	mondiale
3 **en tous cas**	en cualquier caso	in any case	ad ogni modo
4 **déduction** (f.)	deducción	deduction	deduzione
5 **Russie** (f.)	Rusia	Russia	Russia
6 **essayer**	intentar	to try	provare
7 **être relié**	estar relacionado	to be related	essere collegato
8 **calmez-vous**	tranquilizaos	calm down	calmatevi
9 **centaine** (f.)	centenar	about a hundred	centinaia
10 **vomir**	vomitar	to vomit	vomitare
11 **vœu** (m.)	deseo	wish	augurio
12 **voix** (f.)	voz	voice	voce
13 **être assis**	estar sentado	to be sitting	essere seduto
14 **d'habitude**	normalmente	normally	di solito
15 **surpris**	sorprendido	surprised	sorpreso
16 **du coup**	por eso	as a result	quindi
17 **bébé** (m.)	bebé	baby	bambino
18 **interro** (f.)	examen	test	interrogazione
19 **blague** (f.)	broma	joke	scherzo
20 **soudain**	de repente	suddenly	all'improvviso
21 **en effet**	efectivamente	indeed	infatti

Français	Espagnol	Anglais	Italien
[22] **majuscule** (f.)	mayúscula	capital letter	maiuscola
[23] **cru**	crudo	raw	crudo
[24] **trottoir** (m.)	acera	pavement	marciapiede
[25] **chinetoque** (pej.) (m.)	chinito	chink	muso giallo
[26] **avoir honte**	tener vergüenza	to be embarrassed	vergognarsi
[27] **se disputer avec qn**	discutir con alguien	to argue with sb	litigare con qcn
[28] **raccompagner qn**	acompañar a alguien	to accompany sb	riaccompagnare
[29] **avoir l'impression**	tener la impresión	to have the impression	avere la sensazione
[30] **tu parles !** (interj.)	¡qué va!	yeah, right!	neanche per idea!
[31] **pire**	peor	worse	peggio
[32] **paresseux**	perezoso	lazy	pigro
[33] **insulter qn**	insultar a alguien	to insult sb	insultare qcn
[34] **protéger**	proteger	to protect	proteggere
[35] **faire des études**	estudiar	to study	studiare
[36] **sérieusement**	en serio	seriously	seriamente
[37] **bêtise** (f.)	tontería	silly thing	stupidaggine
[38] **mordre qn**	atacar a alguien	to bite sb's head off	attaccare qc
[39] **musicien**	músico	musician	musicista
[40] **faire plaisir à qn**	complacer a alguien	to please sb	far piacere a qcn
[41] **obéissant**	obediente	obedient	obbediente
[42] **Moyen-Âge** (m.)	Edad Media	Middle Ages	Medioevo
[43] **avoir tort**	no tener razón	to be wrong	avere torto
[44] **nettoyer qc**	limpiar algo	to clean sth	pulire qc
[45] **retour** (m.)	vuelta	return	ritorno
[46] **joyeux**	contento	happy	allegro
[47] **saluer qn**	saludar a alguien	to greet sb	salutare qcn
[48] **avoir les larmes aux yeux**	estar al borde de las lágrimas	to have tears in one's eyes	avere le lacrime agli occhi
[49] **féliciter qn**	felicitar a alguien	to congratulate sb	fare gli auguri a qcn
[50] **cauchemar** (m.)	pesadilla	nightmare	incubo
[51] **belle-sœur** (f.)	cuñada	sister-in-law	cognata
[52] **bonheur** (m.)	felicidad	happiness	felicità

Français	Espagnol	Anglais	Italien
3. Révolution !			
[1] **soupirer**	suspirar	to sigh	sospirare
[2] **être déçu**	estar decepcionado	to be disappointed	essere deluso
[3] **ne servir à rien**	no servir para nada	to be useless	non servire a niente
[4] **méchant**	malo	unkind	cattivo
[5] **interrompre qn**	interrumpir a alguien	to interrupt sb	interrompere qcn
[6] **mariage** (m.)	boda	wedding	matrimonio
[7] **consoler qn**	consolar a alguien	to console sb	consolare qcn
[8] **s'en faire** (fam.)	preocuparse	to worry	preoccuparsi
[9] **office** (m.)	oficina	office	ufficio, ente
[10] **jeunesse** (f.)	juventud	youth	gioventù
[11] **échange** (m.)	intercambio	exchange	scambio
[12] **appart** (m.)	piso	flat	appartamento
[13] **c'est pas la peine de faire qc**	no vale la pena hacer algo	it's not worth doing sth	non c'è bisogno di fare qc
[14] **voyage** (m.)	viaje	trip	viaggio
[15] **avoir l'air**	parecer	to look	avere l'aria
[16] **sévère**	estricto	strict	sèvero
[17] **ne pas en revenir**	no salir del asombro	to not believe it	non poterci credere
[18] **étranger** (m)	extranjero	foreign	straniero
[19] **insister**	insistir	to insist	insistere
[20] **un point c'est tout !** (exp.)	¡no se hable más!	and that's final!	punto e basta!
[21] **passé** (m.)	pasado	past	passato
[22] **injuste**	injusto	unfair	ingiusto
[23] **puisque**	porque	because	poiché
[24] **empêcher qn de faire qc**	impedir que alguien haga algo	to stop sb from doing sth	impedire di fare qc
[25] **désobéir**	desobedecer	to disobey	disobbedire
[26] **tuer qn**	matar a alguien	to kill sb	uccidere qcn
[27] **discours** (m.)	discurso	speech	discorso
[28] **invention** (f.)	invento	invention	invenzione
[29] **d'ailleurs**	además	besides	d'altronde

Français	Espagnol	Anglais	Italien
[30] **se rassurer**	asegurarse	to reassure oneself	rassicurarsi
[31] **prendre une décision**	tomar una decisión	to make a decision	prendere una decisione
[32] **raccrocher**	colgar	to hang up	riattaccare
[33] **appel** (m.)	llamada	call	chiamata, telefonata
[34] **possibilité** (f.)	posibilidad	possibility	possibilità
[35] **résister**	resistir	to resist	resistere
[36] **opinion** (f.)	opinión	opinion	opinione
[37] **se battre pour qc**	pelear por algo	to fight for sth	lottare per qc
[38] **au moins**	al menos	at least	almeno
[39] **compter sur qn/qc**	contar con alguien	to count on sb/sth	fare affidamento su qcn/qc
[40] **mien**	mío	mine	mio
[41] **marché** (m.)	trato	deal	patto
[42] **rond**	redondo	round	rotondo
[43] **incroyable**	increíble	incredible	incredibile
[44] **prison** (f.)	cárcel	prison	prigione
[45] **idyllique**	idílico	perfect	idilliaco
[46] **Gaulois** (m.)	Galo	Gaul	Gallo
[47] **miracle** (m.)	milagro	miracle	miracolo

Notes

Notes

Notes

Notes

Notes

Notes

Ce roman a été
imprimé au
printemps 2013